CARLOS TRILLO
Guión

Los misterios de la Luna Roja

4. El libro de todos los sueños

NORMA Editorial

Los misterios de la Luna Roja.
4. El libro de todos los sueños, de Carlos Trillo y Eduardo Risso.
Primera edición: Marzo 2006.
Copyright © Strip Art Features, 2005, www.safcomics.com
All rights reserved for all countries.
© 2006 Norma Editorial por la edición en castellano.
Passeig de Sant Joan 7 - 08010 Barcelona.
Tel.: 93 303 68 20 - Fax: 93 303 68 31.
E-mail: norma@normaeditorial.com.
ISBN: 84-9814-405-1.
Depósito legal: Marzo 2006.
Printed in the EU.

www.NormaEditorial.com

HOLA, LECTOR.

MI NOMBRE ES PATAPAF.

Y EL MÍO, PITIPIF.

SÍ, YA SÉ. ESTABAS ESPERANDO QUE APARECIERA LUNA, LA PELIRROJÍSIMA HIJA DEL SEÑOR DE BURIEN, Y EN SU LUGAR VENGO YO.

Y YO.

LO QUE PASA... A VER...

...AY, LO QUE PASA, ES QUE ELLA ESTÁ RECONTRATRISTE.

Y EMPEZAR LA HISTORIA CON UNA IMAGEN TAN DEPRIMENTE SIN EXPLICACIÓN PREVIA, NO NOS PARECIÓ MUY ADECUADO PARA ESTA DISTINGUIDA EDITORIAL.

¡ALEGRÍA, ALEGRÍA!

¡HOP!

¡CONTEMOS CHISTES, PATAPAF!

¡MUY BUENA IDEA! A VER, PITIPIF: ¿QUÉ LE DIJO EL PADRE AL HIJO DESPUÉS DE ENSEÑARLE A HABLAR Y CAMINAR?

NO SÉ. ¿QUÉ LE DIJO?

¡AHORA, CÁLLATE Y QUÉDATE QUIETO! ¡JA JAJA JA JA!

¡JO JO JO, MUY BUENO!

EHEM.

SÑIG.

ESPEREN QUE ECHO UN VISTAZO.

AY, TODO MAL.

LUNA ESTÁ CADA VEZ MÁS RECONTRARREMIL-RREQUETETRISTE.

TAMBIÉN, CON TODO LO QUE PASÓ...

CALMA, LECTOR. NO TE PONGAS NERVIOSO. TE VOY A CONTAR CÓMO SE ORIGINÓ EL PROBLEMA QUE LA DEJÓ HECHA UN TRAPO.

HABRÍA QUE COMENZAR EL DÍA EN QUE EL PAPÁ DE LUNA SE VOLVIÓ A CASAR.

LA MAMÁ HACÍA TIEMPO QUE HABÍA REGRESADO AL REINO DE LAS HADAS, NI EL AMOR QUE LES TENÍA A SU MARIDO Y A SU HIJA HABÍA SIDO CAPAZ DE RETENERLA EN LA DIMENSIÓN DE LOS HUMANOS.

PORQUE, NO SÉ SI SABEN, LUNA ES HIJA DE UN HOMBRE Y UN HADA. Y, PERDIDA PARA SIEMPRE LA ESPOSA HADA, EL SEÑOR DE BURIEN SE CASÓ CON LA DULCE Y BELLA AMADORA.

ESTOY MUY CONTENTA, PAPÁ, DE QUE OTRA VEZ ESTÉS ENAMORADO.

GRACIAS, HIJITA.

Y MÁS FELIZ ME HACE QUE SEA ELLA EL OBJETO DE TU AMOR.

GRACIAS, HERMOSA.

NO, NO, NO, LECTOR: NADA DE ESO. AMADORA PASABA A SER LA MADRASTRA DE LUNA, ES VERDAD, PERO NO ERA UNA MADRASTRA MALVADA Y RUIN DE ESAS QUE UNO VE EN LOS CUENTOS.

AL CONTRARIO, LA NUEVA ESPOSA ERA BUENA COMO EL PAN Y QUERÍA A LUNA COMO SI FUERA SU HIJA.

¡ESTO NO PUEDE SER! ¡SOMOS EL BUFÓN Y SU CETRO! ¡NUESTRA OBLIGACIÓN ES HACER ALGO YA MISMO!

¿QUÉ, POR EJEMPLO?

ESTÁ BIEN. ¿QUÉ TE PARECE SI LO INTENTAMOS CON SU PRUEBA FAVORITA?

ARRANCAR UNA SONRISA DE LA CARITA DE LUNA, LA ROJA, O CAMBIAR DE PROFESIÓN, AMIGO MÍO.

¿ÉSA EN QUE ME TIRAS POR EL AIRE? ¡NO, POR FAVOR!

SÍ, ¿CÓMO QUE NO?

CASI SIEMPRE IMPIDO QUE TE ESTRELLES CONTRA EL PISO ATAJÁNDOTE CON LA NARIZ.

¿¿¿CASI SIEMPRE???

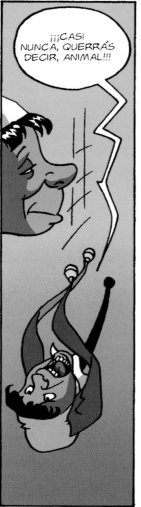

¡¡¡CASI NUNCA, QUERRÁS DECIR, ANIMAL!!!

¡AY, MI POBRE CABEZA!

¡¡¡BESTIA BRUTA!!!

¡AHORA ME VA A SALIR UN CHICHÓN GRANDE COMO UN MONASTERIO!

AY, PITIPIF... MIRA...

¡Y ESO QUE ESTUVO EN PELIGRO MI VIDA!

...LA NIÑA NO SÓLO NO SE HA ALEGRADO NI UN MILÍMETRO, SINO QUE NI SIQUIERA MIRÓ NUESTRA GENIAL PIRUETA.

TAL VEZ, SI LE CONTAMOS EL CHISTE MÁS GRACIOSO DE NUESTRO REPERTORIO, HAREMOS QUE LE CAMBIE LA CARA.

¡BUENA IDEA!

A VER, MAESE PITIPIF, ¿POR QUÉ EL CONEJO ESTÁ TAN FLACO?

¡¡¡PORQUE CORRE LA CONEJA, JAAAAAA JAJAJAAAAA!!!

NADA.

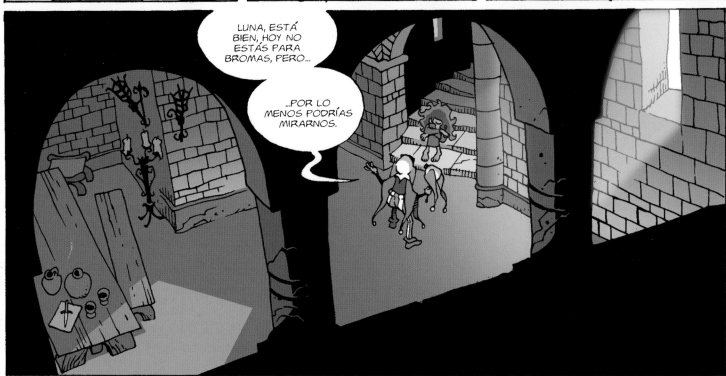

LUNA, ESTÁ BIEN, HOY NO ESTÁS PARA BROMAS, PERO...

...POR LO MENOS PODRÍAS MIRARNOS.

HM.

AYER FUI A LO DE MISIA VENTURA, LA BRUJA, Y EN SU BOLA MÁGICA PUDE VER COSAS SOBRE LAMERMOR DE GRANF, EL DESCOMUNAL DESAFIANTE DE MI PAPITO.

NO SÉ SI SON COSAS QUE DEBA OBSERVAR UNA NIÑA.

¡SH, QUE YA EMPIEZA!

8

9

¿ASÍ QUE ME DARÁS UNA FORTUNA EN JOYAS SI DERRIBO LA PUERTA DE ESE CASTILLO PARA QUE TU EJÉRCITO LO ATAQUE?

SÍ. TE PODEMOS FACILITAR UN ARIETE, SI QUIERES.

NO HARÁ FALTA...

...ESTOS ASUNTOS SE ARREGLAN...

...DE UNA SIMPLE PATADA.

...CATORCE, QUINCE, DIECISÉIS DIAMANTES...

Y HABIENDO VISTO SEMEJANTES ESCENAS, TE DIO MIEDO POR LA SUERTE DE TU PAPÁ EN EL DUELO.

NO ES PARA MENOS.

NO, NO SON ESAS PAVADITAS LAS QUE ME ASUSTAN.

HAY ALGO TODAVÍA PEOR.

¿PEOR?

8

¿QUÉ PUEDE SER PEOR QUE ENFRENTAR A UN GIGANTE FUERTÍSIMO, CAPAZ DE ARRANCAR UN ÁRBOL PARA DÁRTELO POR LA CABEZA?

ESO, ¿QUÉ?

QUE ESE GIGANTE FUERTÍSIMO, ADEMÁS, SEA INVULNERABLE.

PORQUE, USTEDES SABEN, MI PAPÁ ES UN GRAN GUERRERO Y, COMO QUIERE RECUPERAR A LA HERMOSA Y DULCE AMADORA...

...SE ESMERARÁ AL MÁXIMO EN SU ENFRENTAMIENTO CON LAMERMOR DE GRANF.

MÍRENLO. AHÍ ESTÁ PRACTICANDO CON SUS AMIGOS.

¡INCREÍBLE! ¡LO HACE ARMADO SÓLO CON UN BALDE!

THUMP

NO CREO QUE HAYA GUERRERO MÁS BRAVO, ÁGIL Y VELOZ QUE ÉL, PERO...

...PERO EL GIGANTE ES HIJO DE UN OGRO Y DE UNA PODEROSA HECHICERA QUE PODÍA HABLAR CON LAS PIEDRAS, CON LAS VERDURAS, CON LAS ESPADAS.

¿Y CON ESO?

CREO QUE NO ESTABAS PRESTANDO ATENCIÓN, CETRO.

DIJE QUE LA MADRE DE LAMERMOR DE GRANF ERA CAPAZ DE HABLAR CON LAS PIEDRAS, CON LAS VERDURAS....

...Y CON LAS ESPADAS. TE ESCUCHÉ PERFECTAMENTE.

Y YO, A MI VEZ, TE PREGUNTÉ: ¿Y CON ESO?

¿O SEA QUE TE PARECE LO MÁS NATURAL DEL MUNDO QUE ALGUIEN MANTENGA UNA ANIMADA CONVERSACIÓN CON UN TROZO DE HIERRO?

BUENO, YO TENGO EXTENSAS CHARLAS CON LOS TAZONES EN QUE LA COCINERA DEL CASTILLO SIRVE LA SOPA.

SON SERES MUY INTERESANTES LOS TAZONES.

ES CIERTO, LUNA. ESTE HABLA CON LOS OBJETOS.

Y COMO LOS CETROS DUERMEN POQUÍSIMO, A VECES ME DA LA LATA POR LA NOCHE CHARLANDO HORAS CON EL ARCO Y LAS FLECHAS QUE TU PADRE GUARDA EN NUESTRO DORMITORIO.

VUELVO A PREGUNTARTE, LUNA: ¿Y CON ESO?

CON ESO QUE, CUANDO NACIÓ EL GIGANTE, SU MADRE FUE A VER UNA A UNA A TODAS LAS COSAS Y...

...Y LES HIZO CIERTAS PROPUESTAS.

OYE, AGUA DE RÍOS Y ARROYOS, QUIERO QUE ME PROMETAS QUE JAMÁS AHOGARÁS A MI HIJO.

A CAMBIO, PEDIRÉ AL CIELO QUE LLUEVA MÁS PARA QUE ENGORDES.

PRESTA ATENCIÓN, HIERRO QUE SERÁS ESPADA: QUIERO PEDIRTE QUE JAMÁS HIERAS A MI HIJO.

A CAMBIO DE ELLO HARÉ UN CONJURO PARA QUE EL ÓXIDO NO TE DAÑE.

¿SE DAN CUENTA? ¡NADA LO LASTIMA! LA MADRE NEGOCIÓ HASTA CON LOS SEMBRADOS DE LA HUERTA, PARA QUE NO PUEDAN CAUSARLE DOLOR ¡NI SIQUIERA A TOMATAZOS!

CARAMBA...

O SEA QUE, AUNQUE SE ENFRENTE CON EL MEJOR GUERRERO DEL MUNDO...

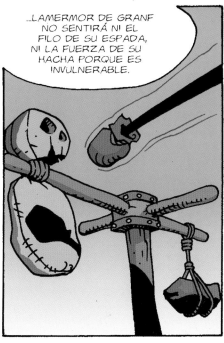

...LAMERMOR DE GRANF NO SENTIRÁ NI EL FILO DE SU ESPADA, NI LA FUERZA DE SU HACHA PORQUE ES INVULNERABLE.

EN CAMBIO, SUS EMBATES SÍ PUEDEN DAÑAR A MI POBRE PAPÁ.

13

Y YO QUISIERA HACER ALGO PARA AYUDARLO, PERO NO SÉ QUÉ.

SIGH.

¡SH, SILENCIO, DÉJENME OÍR BIEN!

¿CÓMO DIJISTE, AMIGO?

¿VES, LUNA? SE PUSO A CHARLAR CON ESE JARRÓN DESCONOCIDO.

SÍ, YA SÉ QUE LA MAMÁ DE LUNA ES UN HADA.

Y QUE NO PUEDE VOLVER A NUESTRO MUNDO REAL NUNCA MÁS.

AH, ESTÁ BIEN, ENTIENDO. SE LO EXPLICARÉ YA MISMO.

DICE TU MAMÁ QUE NECESITA HABLARTE CON URGENCIA.

¿Y CÓMO VA A HACER, SI NO PUEDE HACERSE VISIBLE?

DEBES IRTE A LA CAMA YA MISMO, LUNA.

ELLA APARECERÁ EN CUANTO TE DUERMAS.

AH.

LO MALO ES QUE NO TENGO NADA DE SUEÑO.

12

14

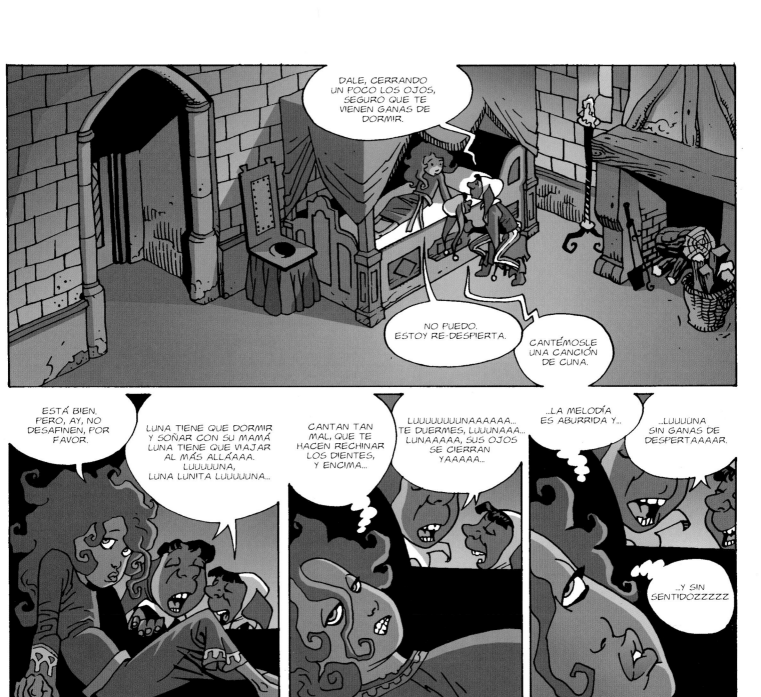

16

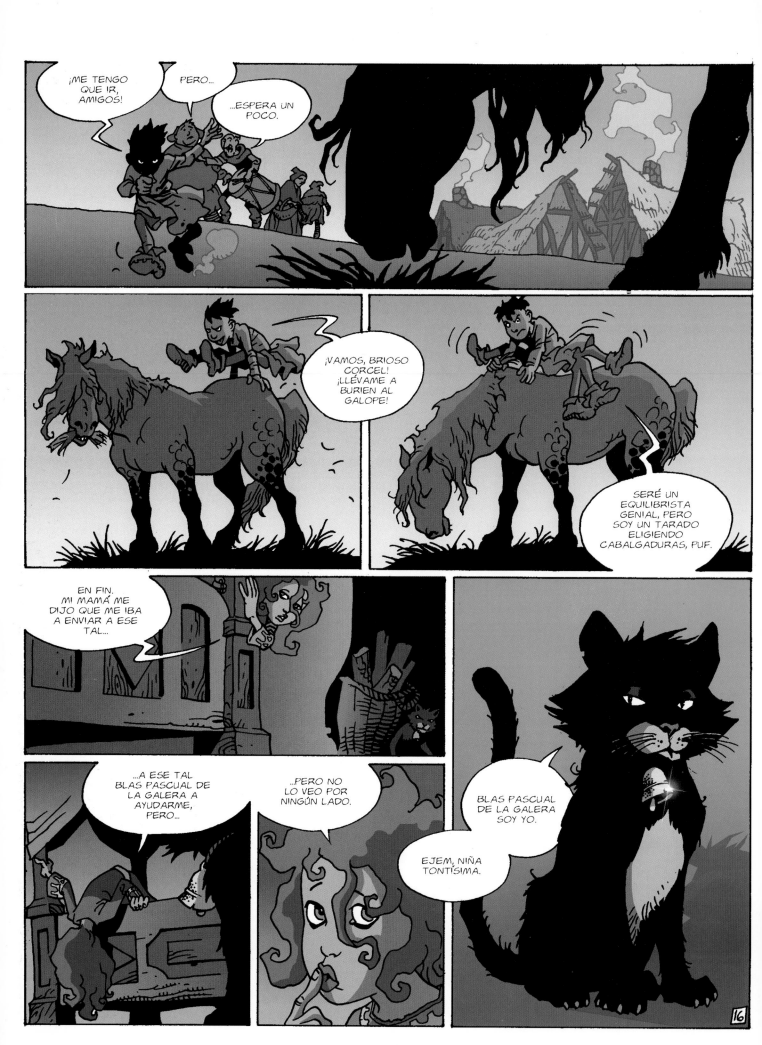

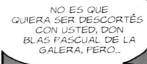

DÉJAME VER.

¿TE REFIERES A ANTOLÍN EL COCINERO, A ANTOLÍN EL LEÑADOR O A ANTOLÍN EL SALTIMBANQUI?

¡AL SALTIMBANQUI, POR SUPUESTO!

AJÁ.

SÍ, SÍ.

ESTÁ VINIENDO PARA AQUÍ, PERO...

...NO CUENTA, EVIDENTEMENTE, CON EL MEDIO DE TRANSPORTE ADECUADO.

HABRÍA QUE DARLE UNA INYECCIÓN DE VELOCIDAD PARA ACELERARLO.

¿A VER?

HERMANO LORENZO PICO PICÓN, ¿ESTÁS AHÍ?

SÍ, AQUÍ MISMO.

¿NECESITAS ALGO DE MÍ?

SÍ, ALLÁ ABAJO VA UN CABALLO GORDOTE Y PACHORRIENTO LLEVANDO EN SU LOMO A UN MUCHACHO MORENO Y FLACO...

¿PODRÍAS INCENTIVAR SU MARCHA, SI ERES TAN AMABLE?

?

DE INMEDIATO, HERMANO BLAS PASCUAL DE LA GALERA.

ESTO ES DESESPERANTE. SI SIGO ASÍ, LLEGARÉ...

18

QUE DETENGAS CON TUS IRRESISTIBLES ENCANTOS A UN CABALLOTE GORDO LANZADO A CORRER COMO UNA AVALANCHA IRREFRENABLE.

DÉJAMELO A MÍ, NO TE PREOCUPES.

HOLA, BUEN MOZO.

AAAAAAAAH

¿ME HABLASTE A MÍ, HERMOSA?

¡¡¡ANTOLÍN, VINISTE, AMIGO MÍO!!!

¡UH!

AHÍ LO TIENES, COLORADA. ¿HAY ALGUNA OTRA ESTUPIDEZ PARA PEDIR O PODEMOS EMPEZAR A TRABAJAR?

THUD

¡QUÉ SUERTE! ¡YO SABÍA QUE SI DECÍA MUCHAS VECES TU NOMBRE, NO TARDARÍAS EN ESTAR AQUÍ!

LA VERDAD, TODAVÍA NO SÉ CÓMO LLEGUÉ...

...AY

¡BASTA DE SALUDOS QUE HAY POCO TIEMPO!

¡CARAMBA, UN GATO QUE HABLA!

SE LLAMA BLAS PASCUAL DE LA GALERA.

MUCHO GUSTO. Y AHORA PONGÁMONOS EN MOVIMIENTO PORQUE SI NO...

NOS VENDRÍA MUY BIEN EN EL CIRCO AMBULANTE QUE TENEMOS CON CROCKER Y THEO.

¿CÓMO? ¿ME ESTÁS PROPONIENDO SER ESTRELLA DE CIRCO?

CLARO, UN GATO PARLANTE SERÍA UNA ATRACCIÓN FENOMENAL.

TODOS QUERRÍAN VERTE. PODRÍAMOS GANAR UNA FORTUNA.

HM... ¡QUÉ INTERESANTE!

USARÍA UNA CAPA BRILLANTE Y UN SOMBRERO DE PIEL DE PERRO, ÚNICO ANIMAL QUE MERECE CONVERTIRSE EN SOMBRERO, Y ADEMÁS...

¡EJEM!

¡BASTA DE PAVADAS!, ¡TENEMOS UNA MISIÓN QUE CUMPLIR!

SI NO SALIMOS YA MISMO, LLAMO A MI MAMÁ HADA PARA QUE TE CONVIERTA EN UNA RATA.

TRANQUILA, LUNA. DEJARÉ PARA DESPUÉS EL GRAN NEGOCIO QUE HAREMOS CON ANTOLÍN.

VE A LA COCINA DEL CASTILLO Y PIDE PROVISIONES PARA UN LARGO VIAJE.

NO ES CUESTIÓN DE PASAR HAMBRE POR METERNOS EN TIERRA DE BRUJAS.

ENSEGUIDA.

21

24

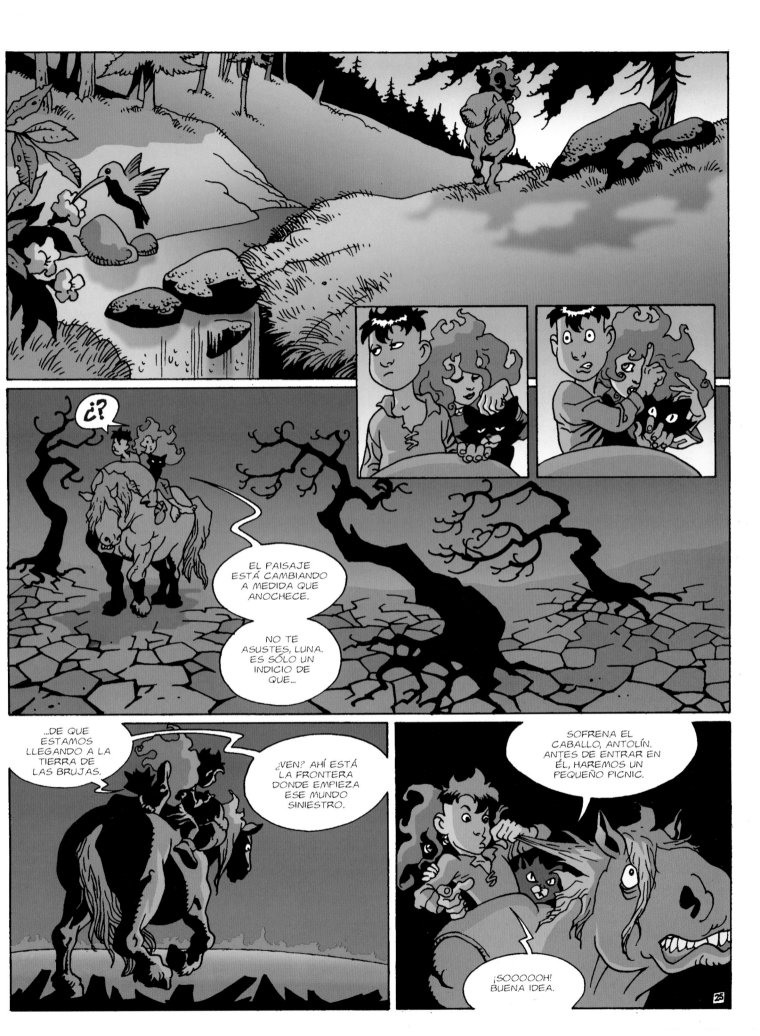

HACE HORAS QUE ESTAMOS SIN COMER; BAJARÉ LA BOLSA DE COMIDA.

¡HOP!

NO VEO LA HORA DE APRECIAR ESOS MANJARES.

¡AUCH!

ME PARECE QUE LO QUE TENGAMOS QUE COMER ESTARÁ POCO COCINADO...

PERO... ¿Y ESTOS DOS?

SOY PATAPAF, ENCANTADO. Y ÉL ES PITIPIF.

CREÍMOS OPORTUNO VENIR CON USTEDES POR SI NECESITABAN AYUDA, JE.

¿AYUDA?

¡¡¡LO QUE NECESITAMOS ES UN JAMÓN, O UNA TARTA DE MANZANAS, O UN POCO DE PESCADO AHUMADO!!!

¡¡¡NECESITAMOS ALIMENTO, NO AYUDA!!!

¡TENGO LA SOLUCIÓN! ¡LES CONTAREMOS UN BUEN CHISTE, QUE ES EL ALIMENTO... PARA EL ESPÍRITU!

¡BUENA IDEA, PITIPIF! A VER SI CONOCE LA RESPUESTA A ESTA PREGUNTA.

¿NO LO ENTENDIERON?

QUIERE DECIR QUE LOS GRANOS QUE SALEN EN EL CUERPO PICAN... PERO LOS GRANOS DE ARROZ, NO. JI.

26

DÍGAME, ¿CUÁLES SON LOS GRANOS QUE MENOS PICAN?

¡¡¡LOS DE ARROZ!!!

¡JAJAJAJA!

ME PARECE, PATAPAF, QUE ACÁ NO SOMOS BIENVENIDOS.

TENGO HAMBRE, TENGO HAMBRE, TENGO HAMBRE...

CÁLMATE, BLAS PASCUAL DE LA GALERA...

SI NO TENEMOS NADA PARA MASTICAR, DURMAMOS UN RATO, ANTES DE ENTRAR EN LA TIERRA DE LAS BRUJAS.

SÍ, MEJOR NO CRUZAR LA FRONTERA A ESTA HORA. DE DÍA, LAS BRUJAS SON MÁS INOFENSIVAS.

MIAU.

BUENAS NOCHES, AMIGOS.

PST.

¿QUÉ HACES DURMIENDO, GATO CARA DE TORTA?

PERO...¿QUÉ?... ¡NO MOLESTES, RATA!

¿¿¿RATA, DIJE???

¡¡¡LLEGÓ LA CENA!!!

SI ME AGARRAS, FELINO FOFO.

YA QUE ESTAMOS EN LA TIERRA DE LAS BRUJAS, PODRÍAMOS IR BUSCANDO LA CASA DE YAGA, LA MADRE DE LAMERMOR DE GRANF.

¿TENEMOS ALGÚN MAPA?

LAMENTABLEMENTE, NO.

PERMISOO...

CÚMPLEME INFORMARLES QUE LA CASA DE YAGA QUEDA PARA ALLÁ.

¿PARA ALLÁ?

¿PARA ALLÁ?

¿PARA ALLÁ?

POR FIN ALGUIEN QUE ME ENTIENDE, NIÑA. EFECTIVAMENTE, LA DIRECCIÓN QUE INDICASTE ES LA CORRECTA.

ADIOOOÓS.

BUENO, VAMOS POR ACÁ.

TE SEGUIMOS, LUNA.

NOSOTROS TAMBIÉN, PEQUEÑA.

SEGURAMENTE NECESITARÁN A DOS VALIENTES COMO NOSOTROS PARA QUE LOS PROTEJAN...

...DE LOS INNUMERABLES PELIGROS...

...QUE LOS ESTÁN ACECHAN... ¡...DOOOOOH!

¿Y, AHORA ADÓNDE VAN ÉSTOS?

AH, YA ENTIENDO. ES UNA TRAMPA COLOCADA POR YAGA PARA OBSTRUIR EL CAMINO QUE CONDUCE A...

...A SUS SUEÑOS, ASÍ QUE TENGAN CUIDA...

¡...DOOOOOH!

QUEDARON DEMASIADO ALTOS. ¿QUÉ HACEMOS AHORA, BLAS PASCUAL DE LA GALERA?

NADA. DÉJENNOS AQUÍ, PORQUE SOLO PODREMOS QUEDAR LIBRES CUANDO USTEDES CONOZCAN EL SECRETO DE LA DEBILIDAD DEL GIGANTE.

ES DECIR QUE, PARA SABER CUÁL ES EL ELEMENTO AL QUE LAMERMOR NO ES INVULNERABLE, TENDREMOS QUE SEGUIR ADELANTE LOS DOS SOLOS.

¿IIIIIH?

PERDÓN, TIENES RAZÓN: LOS TRES SOLOS.

IH.

¡¡¡IIIHHHH!!!

PERDÓN OTRA VEZ: LOS DOS SOLOS, CABALLITO.

ENTRADA:
Para ver los
sueños de Yaga

ENTRADA:
- Para visitar a
Yaga en persona

ESTO ES REALMENTE EXTRAÑO. ¿HABÍAS VISTO ALGUNA VEZ UNA INVITACIÓN TAN OBVIA PARA METERSE EN LAS PESADILLAS AJENAS?

NO. ¿SERÁ UNA TRAMPA?

PARA SABERLO, VAMOS A TENER QUE ENTRAR.

GLUP. SÍ, NO HAY OTRO REMEDIO.

ÉSTOS NO SABEN EN QUÉ LÍO SE METIERON.

32

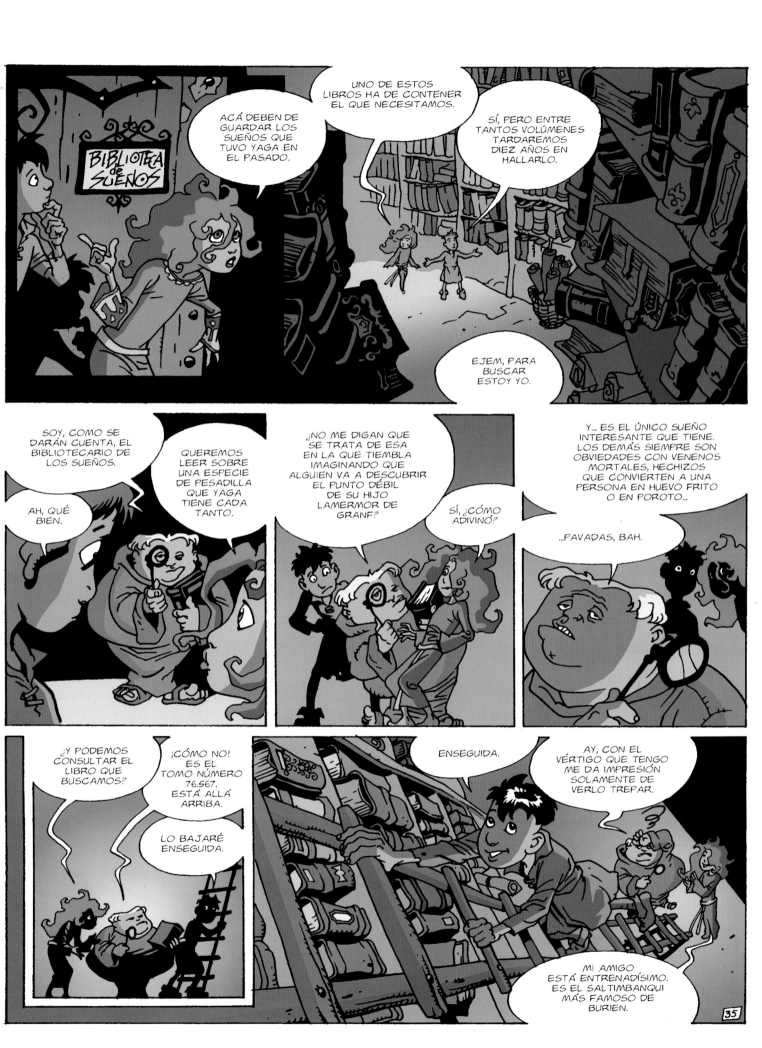

37

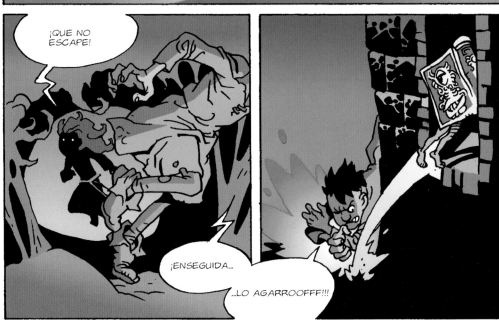

¡SOCORRO! ¡DÉJENME SALIR YA MISMO, POR PIEDAD!

SÍ, CUALQUIER DÍA.

¡ACÁ!

¡LES PIDO, LES IMPLORO! ¡NO DURARÉ MUCHO AQUÍ DENTRO!

¿Y ESO POR QUÉ?

PORQUE SI UNA BRUJA SE MEZCLA CON SUS PROPIOS SUEÑOS, PASA A FORMAR PARTE DE ELLOS Y SE EVAPORA DE LA REALIDAD.

¡SÁQUENME, SEAN BUENOS!

HM, ESO SUENA PROBABLE.

¿SACO LA PIEDRA PARA QUE PUEDA VOLVER AQUÍ?

Y... SÍ, CLARO, POBRE BRUJA.

LA VERDAD, NO SÉ SI ESTAMOS HACIENDO BIEN, LUNA.

AHORA TE VAS A ENTERAR SI HICISTE BIEN O MAL, PAPARULO.

CRAAMMM

¡¡¡DIOSES DEL INFIERNO, VENGAN A MÍ!!!

ME PARECE QUE HICIMOS MAL.

40

42

¡HAZ TU TRABAJO, RAYO DE LA MUERTE!

SOMOS MEDIO BLANDOS, NOSOTROS DOS.

POR AHÍ HABRÍA SIDO MEJOR DEJARLA ENCERRADA EN SUS PROPIOS SUEÑOS PARA QUE REVENTARA.

¿QUÉ? ¿NO ESTARÁN PENSANDO QUE VOY A LASTIMARLOS, NO?

LA VERDAD, ...SÍ.

PERO, ¿POR QUIÉN ME TOMAN?

ME ACABAN DE SALVAR LA VIDA.

Y MIS RAYOS Y CENTELLAS ESTABAN LIBERANDO A SUS AMIGOS DE LAS TRAMPAS EN QUE HAN CAÍDO Y, DE PASO, ABRIENDO LA FRONTERA PARA QUE TODOS PUEDAN REGRESAR A BURIEN.

Y, OTRA COSA: ¿LEÍSTE BIEN A QUÉ COSA ES VULNERABLE EL BRUTO DE MI HIJO?

SÍ, AL HUESO, ¿NO?

TAL CUAL. Y AHORA VAYAN QUE LA BESTIA DE LAMERMOR YA HA EMPEZADO A LUCHAR CONTRA EL SEÑOR DE BURIEN.

SÍ, APURÉMONOS, POR FAVOR, POBRE PAPITO.

FUE UNA EXTRAÑA AVENTURA. NUNCA CREÍ QUE A UNA BRUJA SE LA ABLANDARA EL CORAZÓN ANTE UN GESTO BONDADOSO.

AY, ¿PODRÍAN HABLAR MENOS Y...

BUENO... SEGURAMENTE NUNCA NADIE ANTES TUVO UN GESTO BONDADOSO CON UNA BRUJA.

¡SI ME LO, PIDES A MÍ, PUEDO CONTESTARTE HACIENDO ESTO!

...Y FIJARSE SI SE PUEDE GALOPAR A ESTE CABALLO?

MI PADRE CORRE SERIO PELIGRO A MANOS DEL GIGANTE.

ESCÚCHAME, NENA...